VIRTUAL HERO

© elrubius, 2017
© Editorial Planeta, S. A., 2017
© María Dolores Aldea, por las ilustraciones, 2017

Redacción y versión final del texto: El Torres, 2017
Diseño de interior: María Jesús Gutiérrez

temas de hoy.

Ediciones Temas de Hoy, sello editorial de Editorial Planeta, S. A.
Avda. Diagonal, 662.664, 08034 Barcelona
www.temasdehoy.es
www.planetadelibros.com

Primera edición, abril de 2017

ISBN: 978-84-9998-588-6
Depósito legal: B. 5187-2017
Preimpresión: Safekat, S. L.
Impresión: Unigraf, S. L.

No se permite la reproducción total o parcial de este libro, ni su incorporación a un sistema informático, ni su transmisión en cualquier forma o por cualquier medio, sea este electrónico, mecánico, por fotocopia, por grabación u otros métodos, sin el permiso previo y por escrito del editor. La infracción de los derechos mencionados puede ser constitutiva de delito contra la propiedad intelectual (art. 270 y siguientes del Código Penal).

Diríjase a CEDRO (Centro Español de Derechos Reprográficos) si necesita fotocopiar o escanear algún fragmento de esta obra. Puede contactar con CEDRO a través de la web www.conlicencia.com o por teléfono en el 91 702 19 70 / 93 272 04 47.

El papel utilizado para la impresión de este libro es cien por cien libre de cloro y está calificado como papel ecológico.

VIRTUAL HERO III
el RUBIUS
LA MÁSCARA DEL TROLL

LOS PROTAGONISTAS

ELRUBIUS

Jugador ORV— Nivel de poder: 450
Nombre real: Rubén Doblas
Tipo de sangre: O
Personalidad: Extrovertido, creativo, divertido, idealista, alocado, competitivo.

Youtuber, gamer y mammuter. Recibió un extraño dispositivo llamado ORV que le permite viajar al mundo virtual.

G4TO

I.A.— Nivel de poder: 50
Personalidad: Eficiente, confiable, leal, gruñón, provocador, le gusta discutir.

G4tO es una inteligencia artificial que reside en un brazalete que tiene Rubius. Es de gran ayuda para el grupo gracias a su base de datos de todos los mundos de juego (cuando no está discutiendo).

SAKURA

Jugadora ORV— Nivel de poder: 495
Nombre real: Sara Cerezo
Tipo de sangre: AB
Personalidad: Independiente, responsable, caritativa, estricta, perfeccionista.

Una jugadora de alto nivel, aliada de Rubius, llegó a salir con él, rompiendo su relación tras la aventura de la Torre Imposible.

LAS INTELIGENCIAS ARTIFICIALES (I.A.)

Además de por los jugadores, los mundos de juego están habitados por las I.A.; inteligencias artificiales que son desarrolladas por los programadores.

Las más abundantes y sencillas son las habituales (enemigos, PNJs...). Sin embargo, un escaso porcentaje alcanza alta inteligencia y conciencia propia, lo que las convierte en individuos únicos, tan vivos en el mundo virtual como puedan estarlo los jugadores.

ESCUDOS
SALUD
ENERGÍA

ORV (origen desconocido)

Creado por: DATOS INSUFICIENTES...

ZOMBIRELLA

Jugadora ORV— Nivel de poder: 300
Nombre real: (Desconocido)
Tipo de sangre: B
Personalidad: Alegre, alocada, divertida, celosa, sensible, leal, de buen corazón.

Auténtica fan de Rubius, ayuda a su ídolo en todo lo posible. Se muestra muy celosa con todos los que se le acercan.

NIVELES DE PODER SEGÚN JUGADOR

ORV (Omnijuego Realidad Virtual)

Sincroniza los patrones cerebrales del jugador con un "avatar" en el mundo de juego, lo que crea una experiencia realista más allá del software del propio juego. Las sensaciones son casi reales (dolor, etc.).

Se desconoce cómo afectaría al jugador la muerte del avatar.

CAÍDO EN BATALLA

ELIMINADO

SLENDER

I.A.— Nivel de poder: 295
Personalidad: Atento, compasivo, reservado, pacífico, tímido, educado.

Nadie sospechaba que el famoso monstruo de los mundos de juego era una I.A. muy tímida que solo quería hacer amigos y tomar té con ellos. Murió salvando a Sakura del ataque de Trollmask en la Torre Imposible.

En episodios anteriores...

ELRUBIUS recibe de forma misteriosa un paquete que contiene un ORV. Tras entrar al mundo virtual y conocer a la jugadora SAKURA, esta es raptada por un grupo de jugadores mientras Rubius es desconectado. Rubius se lanza al rescate de su amiga usando a su interfaz G4TO, conoce en el camino a extraños personajes que le ayudan: la fan ZOMBIRELLA, el tímido SLENDER y el pesado PROFESOR BRASAS.

Pronto averiguan que detrás de todas sus aventuras hay un misterioso jugador enmascarado que parece odiar muchísimo a Rubius, y que ha llegado incluso a unir los mundos de juego en una TORRE IMPOSIBLE usando el poder de la GOLDEN BLADE, aventura de la que el grupo no escapa indemne...

LOADING GAMEWORLD

MUNDOS DE JUEGO

Todos los juegos se ubican en mundos que existen separadamente, aunque es posible el viaje entre ellos, por lo que se sospecha que todos forman parte de un solo universo conjunto.
Algunos de los mundos de juego conocidos son los llamados Mundo Miedo, Mundo Mina, Mundo Mutante... cada uno con una temática diferente.

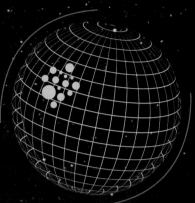

REPROGRAMANDO...

PROFESOR BRASAS

Jugador ORV— Nivel de poder: 700
Nombre real: (Desconocido)
Tipo de sangre: A
Personalidad: Reservado, entusiasta, inteligente, pesado, parlanchín.

El más grande científico de los mundos de juego (y árbitro de combates de monstruos en su tiempo libre).

UST

I.A.— Nivel de poder: 555
Personalidad: Ust, ust, ust. Ussst. ¡Ust! ¡Ust! ¿Ust? ¡Ust!

UST es el avatar virtual de Rubius que consiguió conciencia propia. Con un ejército de peluches lacayos, quiso destruir a su creador y tomar su puesto en el mundo real. Pero él fue también manipulado...

ELIMINADO

MANGEL

Jugador normal— Nivel de poder: 15
Nombre real: Miguel Ángel Rogel
Tipo de sangre: A
Personalidad: Atento, tranquilo, divertido, reservado, hipster.

Compañero de piso de Rubius, también youtuber, cuida a sus gatos mientras su amigo está en el mundo virtual.

DEMONIKA

Jugadora ORV—Nivel de poder: 505
Nombre real: ???
Tipo de sangre: B
Personalidad: Manipuladora, sensual, coqueta, oportunista.

Aliada de Trollmask, es una bruja de gran poder, que usa tanto la magia como la sensualidad para alcanzar sus fines.

REPROGRAMANDO...

LOS PÍXELES BASE

Recientes experimentos han demostrado que los mundos de juego están compuestos de unos elementos mutables poco más grandes que los átomos.

Estos elementos, bautizados como PÍXELES BASE por el Profesor Brasas, pueden ser manipulados por jugadores y hackers expertos, y convertidos en lo que se desee.

TROLLMASK

Jugador ORV—Nivel de poder: 666
Nombre real: ???
Tipo de sangre: ???
Personalidad: Furioso, inestable, cruel.

Enemigo declarado de Rubius, puede manejar los píxeles base a su antojo. Usa lacayos para sus fines, como UST, Demonika y las hordas de Peluches Cachas.

GLBLLL...

¡OH, CIELO SANTO! ¡RUBIUS!

PERO TÍO... ¡¿CUÁNTO TIEMPO LLEVAS YA ENGANCHADO A ESE TRASTO DEL ORV?

¡TE VA A DAR ALGO COMO SIGAS ASÍ!

NADA, NI CASO. TOTALMENTE IDO.

GLL...

MENOS MAL QUE ESTOY YO, TU VIEJO AMIGO MANGEL, PARA LAVARTE Y AFEITARTE...

...DARLE DE COMER A TUS GATOS...

¡AARRGH! Y... ¡VACIARTE EL ORINAL!

PERO TÍO... ¿QUÉ DEMONIOS HAS COMIDO?

OH, QUÉ BIEN. QUÉ LIMPIO Y FRESCO ME SIENTO DE REPENTE...

¡G4TO! ¿QUEDA MUCHO PARA NUESTRO DESTINO?

ESO, RUBIUS. TÚ SIGUE TRATÁNDOME COMO UN GPS.

a 500 metros, gire a la izquierda... ≥ARGH≤

AQUÍ. **EL ÚLTIMO LOBBY.**

EL **PEOR** GARITO DE LOS MUNDOS DE JUEGO QUE EXISTE.

ESTÁ BIEN. ZOMBIRELLA, G4TO, QUEDAOS AQUÍ. ENTRARÉ PRIMERO.

CUIDADO, RUBIUS. MIS SENSORES DETECTAN QUE EL NIVEL DE **PODER** DE LOS JUGADORES DE AHÍ DENTRO ES **ABRUMADOR...**

HAY MOBS, TANQUES... LO PEOR DE LO PEOR...

TRANQUILO. SÉ CÓMO HABLAR CON ESTA GENTE...

¡EH, VOSOTROS, ESCORIA INMUNDA!

⸗GL-GLUBS⸗

BUSCO A ALGUIEN APODADO **THE GLITCHER...**

DICEN QUE SABE **TODO** LO QUE HAY QUE SABER SOBRE LOS MUNDOS DE JUEGO, LOS ORV Y LOS JUGADORES...

QUISIERA SABER DÓNDE ESTÁ Y ESO... SI NO ES MUCHA MOLESTIA, CLARO...

⸗AY AY AY⸗

POR SUPUESTO, MI BUEN SEÑOR. PODRÁ ENCONTRARLE AL FONDO DE LA SALA.

QUE PASE UN BUEN DÍA.

CIERTAMENTE. ¿DESEA QUE SE LO PRESENTE, QUIZÁS?

SUPONGO QUE NO LE APETECERÁ ANTES UNA TAZA DE TÉ.

QUÉ JOVEN TAN EDUCADO...

9

13

¡TÍO, ESTÁS CHALADO!

¿NO VES QUE TE ESTÁS ARRIESGANDO DEMASIADO? DEBERÍAS COGER ESE ORV Y *TIRARLO*...

¡ESE TRASTO SOLO TE HA TRAÍDO *DESGRACIAS*!

NO PUEDO ABANDONAR AHORA, MANGEL.

TU AMIGA *SARA* TE HA *DEJADO* POR CULPA DE LO QUE OCURRIÓ, PERO TÚ SIGUES...

NO HABLARÉ CON SARA HASTA QUE NO ACABE CON ESE TROLLMASK.

¡SOLO DIGO QUE ESTÁS BUSCANDO EN EL *LUGAR ERRÓNEO*! ¡DEBERÍAS PREOCUPARTE DE LOS QUE CONOCES EN EL *MUNDO REAL*!

"BUSCAS A TROLLMASK EN EL LUGAR ERRÓNEO".

"ERRÓNEO".

"¿SEGURO QUE NO LO CONOCES YA EN EL MUNDO REAL?"

"...NDO REAL".

"LO CONOCES".

"ECO, ECO, ECO∞".

¡OOOHHH!

¡NO... NO ME LO PUEDO CREER! ¡TÚ...! ¡ERES *TÚ*, MANGEL!

¡TÚ ERES TROLLMASK!

¡SÍ, ES CIERTO! ¡SOY YO! ¡ME HAS *DESCUBIERTO*!

NO... NO PUEDE SER... =BUA

=SNIFF= MI... MI MEJOR AMIGO...

ES ASÍ, RUBIUS...

¡NO PODÍA *AGUANTAR* MÁS QUE ESTUVIERAS RODEADO TODO EL DÍA DE *TÍAS* CON GRANDES TETAS!

¡TE QUERÍA PARA *MÍ*!

¿*TODO LO HAS HECHO POR CELOS*?

LO HICE... PORQUE *TIENES* QUE SER *MÍO*.

ESTA BROMA HA DEJADO DE TENER GRACIA HACE TIEMPO.

SÍ, YA ESTÁ UN POCO VISTA. TÍO, ÉCHATE PARA ATRÁS QUE NO VEAS CÓMO TE CANTA EL ALIENTO...

TÚ **NO** ERES EL MALO, ¿VERDAD?

...

PUES CLARO QUE **NO**. ¿CÓMO VOY A SERLO?

YA. SEA QUIEN SEA ESE CAPULLO ESTARÁ EN EL MUNDO VIRTUAL, RIÉNDOSE DE TODO.

BWHA-HAHAHAHAHA HAHAHAHA

¿Y BIEN? ¿QUÉ OPIÑAS DE MI **NUEVA** GUARIDA?

NO ESTÁ NADA MAL, MAESTRO. MUY **ACOGEDORA**. ESPERO QUE A LOS ANTIGUOS DUEÑOS NO LES MOLESTE...

SÍ. ES UN LUGAR MAGNÍFICO. LLENO DE TRAMPAS, CON GRANDES HABITACIONES...

DESDE ESTE CASTILLO, DEMONIKA, PIENSO HUNDIR EN LA **MISERIA** A RUBIUS.

¿QUÉ SABES DE ÉL?

Quedamos aquí, Rubius. ¡Besis! XXXOOO Zombirella.

¿AQUÍ es donde quiere quedar Zombirella?

¡¿UN SALÓN DEL CÓMIC?!

BUENO, HACE MUCHO TIEMPO QUE NO VISITO UNO...

JO. ¡HAY UN MONTÓN DE CÓMICS QUE TIENEN UNA PINTA GENIAL! LUEGO ME PASARÉ A COMPRAR ALGUNOS..

PERO, ¿QUIÉN DE TODAS ESTAS CHICAS SERÁ ZOMBIRELLA?

NUNCA LA HE VISTO EN EL MUNDO REAL. ¡NI SIQUIERA TENGO UNA FOTO SUYA!

¿CÓMO SERÁ?

A LO MEJOR ES UNA TOP MODEL...

HOLA, RUBIUS. SOY TU ZOMBIRELLA. ⸗MMMMM⸗

NO CREO. SERÁ UNA CHICA MAJA, SEGURO.

¡HOLA, RUBIUS! ¡SOY YO, ZOMBIRELLA!

O PUEDE QUE...

¡HOLA, RUBIUS! ¡SOY ZOMBIRELLA!

¡SIEMPRE LO HE SIDO! ⸗HAR, HAR, HAR⸗

¡HOLA, RUBIUS! ¡SOY YO, ZOMBIRELLA!

POP

¿EHH?

17

¡ME ENCANTA VERTE EN EL MUNDO REAL, RUBIUS!

T... T... TÚ...

SÍ, SOY YO, RUBIUS. ¿ES QUE NO ME RECONOCES?

BONK

¡PUES CLARO QUE VOY *DISFRAZADA*, TONTO! PENSÉ QUE SI ME VESTÍA DE MI *AVATAR*, ME RECONOCERÍAS AL MOMENTO.

MIRA, ESOS VAN DE COSPLAY DE RUBIUS Y ZOMBIRELLA.

ELLA VA BIEN, PERO EL DE RUBIUS NO SE PARECE EN NADA.

PERO... PERO ASÍ NO SABRÉ CÓMO ERES REALMENTE.

¡JA, JA! ¡SOY ASÍ DE MISTERIOSA!

NO, NO SÉ QUÉ PENSAR, ZOMBIRELLA. TENGO UN CACAO ENORME.

NO ES SOLO POR EL *HATE* ESE. SE TRAT TAMBIÉN DE...

BUENO, SABES QUE *SARA* NO QUIERE VERME DESDE LO DE... SLENDER.

YA *NO SÉ* SI LE SIGO GUSTANDO, O SI ME *CULPA* A MÍ POR LO QUE PASÓ.

PERO... *TÚ* SIEMPRE HAS ESTADO A MI LADO.

NO PUEDO NEGAR QUE SIENTO POR TI...

...

¡TENEMOS QUE ESTAR JUNTOS, CHICOS!

PORQUE SARA ES LA JUGADORA MÁS FUERTE Y PODEROSA QUE CONOZCO...

=MM=

Y VOSOTROS DOS...

ES DECIR, AUNQUE YO PUDIERA... VOSOTROS DOS...

TIENES RAZÓN.

TENEMOS QUE ESTAR JUNTOS. Y DETENER A TROLLMASK JUNTOS.

ES LO QUE SLENDER HUBIESE QUERIDO.

¡SÍ! ¡ESTAMOS TODOS UNIDOS!

TODOS UNIDOS.

¡SÍ!

SARA, ¿ESTO QUIERE DECIR QUE TÚ Y YO PODEMOS SALIR ESTA NOCHE...?

CREO QUE PARA ESO TODAVÍA DEBES DARLE UN POCO MÁS DE TIEMPO, RUBIUS.

=GEE=

VOORP

¡YUPIIIII! ¡MAEZTRO, YA EZTOY AQUÍ!

¿HAS DETENIDO LA FILTRACIÓN?

CLARO QUE ZÍ, MAEZTRO. ¡EZE *BDAVUCÓN* DE GLITCHER YA NO ZERÁ UN PODBLEMA!

DUBIUZ EZTABA ALLÍ, PERO PUDE *BANEAR* A GLITCHER ANTEZ DE QUE SE FUEZE DE LA LENGUA.

POR MUCHO QUE ME DUELA HABERME DESHECHO DE GLITCHER, ERA UN JUGADOR *PROBLEMÁTICO.*

SI HUBIESE ROTO EL *ENCANTO* DEL JUEGO, LOS DEMÁS JUGADORES... RUBIUS... HUBIERAN TERMINADO POR ABANDONARLO.

CLARO. YA LE HABÍA ADVEDTIDO ANTEZ, MAEZTRO. POD EZO ZOY UNA *MODEDADODA.*

TÚ ERES MI *AGENTE EN LA SOMBRA,* DEVILIA, LA *PROTECTORA* DE TODO MI TRABAJO...

21

...PORQUE LA **CREACIÓN** DEL ORV, EL DESCUBRIMIENTO DE LOS **PÍXELES BASE** Y LOS **MUNDOS DE JUEGO** SON EL TRABAJO DE **MI VIDA.**

⹂HNNN⹂ ¡CLADO QUE ZÍ, **PROFEZOD BRASAS!**

SUPONGO QUE PODEMOS BORRAR EL **CÓDIGO DE SALVAGUARDA** DE GLITCHER, YA QUE NO PODRÁ VOLVER A USAR EL ORV.

ESTOS CÓDIGOS OCUPAN MUCHOS TERABYTES, PERO SIN ELLOS, SI UN AVATAR MURIESE... A SABER LO QUE LE OCURRIRÍA AL JUGADOR.

SI GLITCHER SE HUBIERA CEÑIDO AL **ROL** QUE TENÍA Y HUBIESE DISFRUTADO DEL JUEGO...

INCLUSO **TROLLMASK** ENTIENDE QUE SU PAPEL DE **VILLANO** ES NECESARIO.

PORQUE, ¿QUÉ SERÍA DE UN JUEGO SIN UN **GRAN VILLANO?**

¿VERDAD, DEVILIA?

ZIELOZ, PROFEZOR, ¡EZ MUY **TADDE!** ¡TENGO QUE ID AL COLEGIO!

CLARO, DEVILIA, ADIÓS.

YO ME QUEDARÉ EN ESTE MARAVILLOSO MUNDO...

...SOLO UN POCO MÁS.

ATENCIÓN: Jugadores entrando en mundos de juego. Sujetos: RUBIUS, ZOMBIRELLA, SAKURA.

Conexión con ORV exitosa.

Comienza el juego.

¡G4TO! ¡TE NECESITO!

¡UAAAH! ¡A MENUDAS HORAS VIENES, RUBIUS!

¡AHORA NUESTRA PISTA ES ESA MISTERIOSA DEVILIA!

ESTÁ BIEN... BUSCANDO PISTAS... GRRR... ¡SOY UN GATO, NO UN PERRO RASTREADOR!

¡YO VOY CONTIGO, G4TO!

¡OH, PERO SI PARECE QUE ESTAMOS EN MUNDO MIEDO DE NUEVO!

...

SAKURA... ¿ES QUE YA NO TE GUSTO?

VRR-CLICK

¿ME LO PREGUNTAS A MÍ, SEÑORITO "BESO-CON-LENGUA-A-TODOS-MIS-AMIGOS"?

PARECE QUE NUNCA TE DAS CUENTA DE NADA, RUBIUS.

NO TE DAS CUENTA DEL DAÑO QUE LE HAS HECHO A ZOMBIRELLA.

23

¡G4TO! ¡SIEMPRE NOS METES EN LOS **PEORES** SITIOS!

¡¿YO?! ¡¿YO?!

¡ERES **TÚ** EL QUE DECIDIÓ IR POR AQUÍ!

"MIMIMÍ... SUBAMOS ESTE SENDERO HASTA LA MONTAÑA Y PODREMOS VER LO QUE HAY MUCHO MEJOR".

¡NO LO HABRÍA HECHO SI NOS HUBIERAS TRAZADO LA **RUTA** HASTA ESA CHICA RARA, **GATO BERZOTAS**!

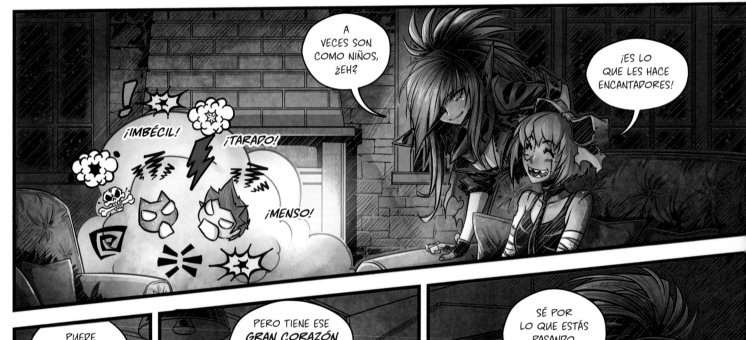

A VECES SON COMO NIÑOS, ¿EH?

¡IMBÉCIL! ¡TARADO!

¡MENSO!

¡ES LO QUE LES HACE ENCANTADORES!

PUEDE QUE POR ESO RUBIUS SEA ASÍ DE IMPULSIVO Y HAGA LAS COSAS SIN PENSAR.

PERO TIENE ESE **GRAN CORAZÓN** QUE HACE QUE... TE **QUEDES** CON ÉL.

SÉ POR LO QUE ESTÁS PASANDO, ZOMBIRELLA.

CRACKK

¿ME ESTÁS ESCUCHANDO?

=MUNCH=
=MUNCH=

OH, SÍ. YO... ES QUE... ESTE SEÑOR APARECIÓ DE LA *NADA* Y...

SÉ LO QUE SIENTES POR ÉL, ZOMBIRELLA. *SIENTES* LO MISMO QUE YO. Y SÉ QUE SACRIFICAS TUS SENTIMIENTOS PENSANDO EN *SU BIEN.*

PERO NO ES TU ELECCIÓN, ES LA *SUYA.*

TÚ Y YO HEMOS PASADO POR MUCHO JUNTAS. *NO* DEBERÍAMOS COMPETIR POR ÉL. NI *TAMPOCO* SACRIFICARNOS. ES RUBIUS QUIEN DEBE DECIDIR.

¿RECUERDAS LO QUE NOS PREGUNTÓ *SLENDER?*

¿SOMOS AMIGAS?

¡SUPERAMIGAS!

PERO *DE VERDAD.*

¡AAAAH! ¿QUÉ ES ESTO? ¿*QUÉ* HACE ESTE TÍO *AQUÍ?*

VENÍA A DECIROS QUE SI PONES EL CULO CONTRA LA NIEVE DA MUCHO FRESQUITO Y...

¡¿DE VERDAD?! ¡YO QUIERO PROBAR!

PERO... PERO... ¡ANTES QUITA A ESTE MUERTO DE AQUÍ!

JO. ¿NO ME LO PUEDO GUARDAR PARA DESPUÉS?

NO SÉ NI PARA QUÉ ME MOLESTO...

OH, Y LUEGO ESTÁIS AQUELLOS QUE TENÉIS ESE DISPOSITIVO ESPECIAL. EL *ORV*.

¿SABÉIS LO QUE ES UN CÓDIGO DE SALVAGUARDA?

ES LO QUE *IMPIDE* QUE VUESTRO *YO* EN EL MUNDO REAL RECIBA LOS DAÑOS DE VUESTRO *AVATAR*.

¿ESTE DE AQUÍ? PERTENECE A UN PERSONAJILLO INSOLENTE. *DEVILIA*.

PODRÍA *LIQUIDARLA* SI ENTRASE EN EL JUEGO. PERO SERÉ MAGNÁNIMO.

TAN SOLO LA *BANEARÉ...* ¡PARA *SIEMPRE*!

CLARO QUE NO SIEMPRE SOY TAN MAGNÁNIMO.

¿SABÉIS LO QUE HA PASADO CON EL *CREADOR* DE LOS *ORV*?

SE ATREVIÓ A METERSE EN MI CAMINO.

EL MERCURIO
Necrológicas Última Hora

FALLECE MAGNATE DE LOS VIDEOJUEGOS

El famoso magnate de los videojuegos Hideo Miyamoto, creador de la compañía Kokomi, ha sido encontrado muerto en su casa de Tokio. Según fuentes cercanas, un súbito ataque al corazón ha sido la causa.

SI ESTÁS VIENDO ESTE MENSAJE ES PORQUE HAS LLEGADO A MI **LABORATORIO...** ESPERO QUE LO HAYAS HECHO ANTES DE ENFRENTARTE CON TROLLMASK...

NO ME QUEDA MUCHO TIEMPO... Y TENGO MUCHO QUE CONFESAR Y QUE **CONTAR...**

CONSTRUÍ MI EMPRESA SOBRE LOS VIDEOJUEGOS. OH, LOS **JUEGOS** SIEMPRE ME ENCANTARON...

SIEMPRE CREÍ QUE LOS JUEGOS ERAN UNA **DIMENSIÓN DIFERENTE.** UNA REALIDAD ALTERNATIVA QUE CREÁBAMOS CON NUESTRA **IMAGINACIÓN.**

Y ASÍ CREÉ UNA **INTERFAZ** QUE PERMITÍA LA **INMERSIÓN TOTAL** EN ESOS JUEGOS.

ASÍ **CREÉ** EL **ORV.**

PERO NI MI PROPIA EMPRESA CREÍA EN EL PROYECTO. ESTABAN MÁS PREOCUPADOS POR HACER DINERO RÁPIDO.

"MUY **PELIGROSO**", DIJERON. "NOS ARRUINARÍA".

PERO YO DECIDÍ SEGUIR ADELANTE CON EL PROYECTO.

CONTRATÉ UN GRUPO DE ANIMOSOS BECARIOS PARA AYUDARME CON EL **ORV...**

ENTRE ELLOS, CIERTO **JOVEN.** DIJO SER MUY **FAN** DE UN YOUTUBER LLAMADO **RUBIUS.**

ÉL ME CONVENCIÓ DE QUE DEBERÍAMOS HACER UN MASIVO **TRABAJO DE CAMPO.**

BUSCAR A LOS **MEJORES** JUGADORES, ENVIARLES ORV, VER CÓMO INTERACTUABAN.

INSISTIÓ MUCHO EN QUE ENTRE ELLOS ESTUVIESES **TÚ.**

Y LA PRIMERA VEZ QUE INTERACTUAMOS... TODO FUE **GLORIOSO.**

DESCUBRÍ QUE LOS MUNDOS DE JUEGO YA ESTABAN **HABITADOS...** POR **INTELIGENCIAS ARTIFICIALES.** ALGUNAS, ALTAMENTE INTELIGENTES. CON **ALMA PROPIA.**

PERO MI **BECARIO...** LAS MANIPULABA PARA SUS PROPÓSITOS.

Y YO... ¡ERA TAN **FELIZ!** ¡ME LO PASABA TAN BIEN **JUGANDO** CON VOSOTROS, EN MI ROL DE **PROFESOR** PESADO!

SÍ, AÚN TENÍA QUE VIGILAR Y MODERAR LO QUE OCURRÍA EN LOS MUNDOS. PERO ESTAR CON VOSOTROS... ERAIS EL **VERDADERO ESPÍRITU DEL JUEGO.**

Y YO ERA MUY, MUY FELIZ.

TANTO QUE HICE LA **VISTA GORDA** A LOS DESMANES DE TROLLMASK.

PENSABA QUE TODO JUEGO NECESITABA UN **VILLANO.**

PERO TODO LO QUE ÉL HACÍA...

...ERA LLEVADO POR EL **ODIO** HACIA TI, RUBIUS.

=UNGH=

HE COMETIDO MUCHOS ERRORES, AMIGOS MÍOS.

Y ESPERO QUE ME **PERDONÉIS.**

TAN SOLO **RECORDAD... TODO** LO QUE **EXISTE** EN ESTOS MUNDOS... ARMAS, ESPADAS, PODERES...

HASTA LOS MISMOS **PÍXELES BASE...**

...SON SOLO **IMAGINACIÓN.**

OS QUIERO DAR LAS **GRACIAS,** AMIGOS MÍOS... NO OS PREOCUPÉIS POR MÍ...

HA SIDO UNA GRAN PARTIDA.

FIN DEL MENSAJE.

DEMONIKA.

VAS A LLEVARNOS A DONDE ESTÁ TROLLMASK.

AHORA.

39

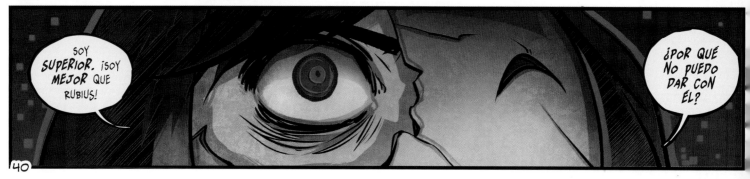

"CREO QUE LO RECONOCÍ EN AQUEL MOMENTO CUANDO BRASAS NOS CONTABA TODA LA HISTORIA EN SU VÍDEO."

"TROLLMASK NO ES SINO..."

"...AQUEL *FAN* QUE ME PERSEGUÍA. EL *STALKER*."

¿?

PUEDE QUE AL FINAL TODO ESTO SEA *CULPA MÍA.*

CUÁNTO ME TIENE QUE ODIAR ESE CHICO... ¿Y SI HAY *MÁS?* ¿Y SI LO HE HECHO MÁS *VECES?*

¡NO, RUBIUS! *NO* ERES RESPONSABLE DE SUS ACCIONES.

NI SIQUIERA TIENES POR QUÉ ESTAR AQUÍ INTENTANDO DETENERLE...

PARA MÍ ESO TE CONVIERTE EN TODO UN HÉROE.

OOH. =MUA, MUA, MUA=

QUÉ BONITO. ¿OS VAIS A BESAR YA?

JO. NO HACÍA FALTA PONERSE ASÍ...

SI OS LO LLEGA A DECIR... NO SÉ... UN *CANGREJO* CANTARÍN, ¡SEGURO QUE LA BESAS!

PUES NO, NO HABÍA **NINGÚN** GUARDIÁN EN LA PUERTA.

UN MOMENTO... **¿ASÍ** QUIERE TROLLMASK TENER LOS MUNDOS DE JUEGO?

TIENE UN GUSTO ESPANTOSO.

RUBIUS. PUES SÍ QUE TIENES VALOR...

¿HAS VENIDO A **ADMIRAR** MIS DOMINIOS...?

¿HAS VENIDO A VER **TODO** LO QUE HE **HECHO** POR **TI**?

¿POR MÍ? ¿TODO ESTO HA SIDO POR **MÍ**?

¿NO QUERÍAS UN GRAN JUEGO?

¿QUÉ MEJOR JUEGO QUE ESTE, DONDE APUESTAS TU **VIDA** Y LA DE TUS **AMIGOS**?

NO, TÍO, NO...

¿NO LO VES? ESTO YA HA **DEJADO** DE SER UN JUEGO. HAN MUERTO PERSONAS. **NO** ESTÁS BIEN. NECESITAS **AYUDA**.

NECESITAS EL APOYO DE UN AMIGO.

49

IMAGINACIÓN, TROLLMASK.

PARA CONSTRUIR...

PARA COMPARTIR CON TUS AMIGOS...

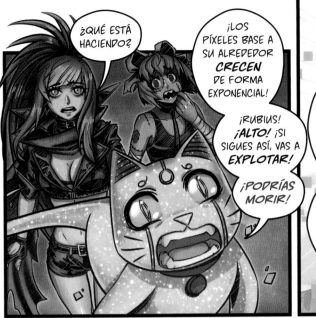

¿QUÉ ESTÁ HACIENDO?

¡LOS PÍXELES BASE A SU ALREDEDOR CRECEN DE FORMA EXPONENCIAL!

¡RUBIUS! ¡ALTO! ¡SI SIGUES ASÍ, VAS A EXPLOTAR!

¡PODRÍAS MORIR!

ALGUIEN TIENE QUE DETENER ESTA MALDAD SIN IMPORTAR EL RIESGO...

...PORQUE TODOS PODEMOS USAR EL PODER DE LA IMAGINACIÓN PARA CAMBIAR LAS COSAS...

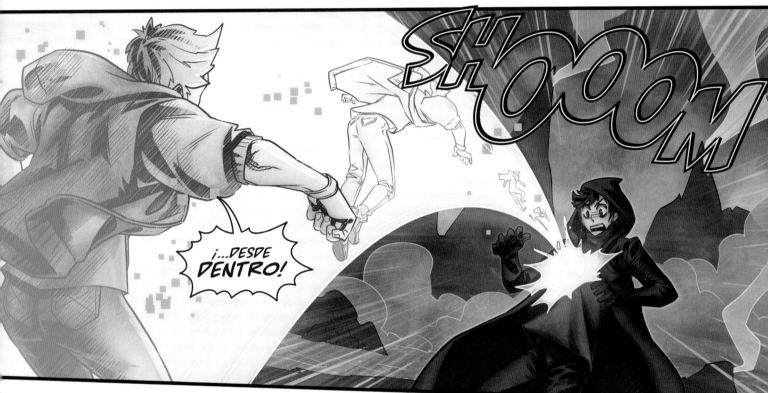

SHOOOM

¡...DESDE DENTRO!

¡NO! ¡NO! ¡RUBIUS! ¡¿QUÉ ME HAS HECHO?!

PERO... ¿QUÉ HA PASADO? ¿DÓNDE ESTÁ?

OH, NO...

RUBIUS...

¡SE HA UNIDO A LOS PÍXELES BASE!

¿DÓNDE...?

AH, SÍ.

AHORA LO ENTIENDO.

Y AHORA PUEDO VERLO *TODO*.

ESTE ERA EL *AUTÉNTICO* DOMINIO SOBRE LOS PÍXELES BASE. QUÉ SENCILLO ERA AL FINAL...

...TAN *SOLO* CONSISTE EN JUGAR CON TU IMAGINACIÓN.

LOS PÍXELES BASE SON LOS *LADRILLOS* CON LOS QUE SE *CONSTRUYEN* LOS MUNDOS.

HAY TANTOS DATOS... TANTO PODER... MI MENTE NO LO PODRÁ *SOPORTAR* DURANTE MUCHO TIEMPO.

PERO ANTES, PONDREMOS *FIN* A ESTA SITUACIÓN.

ESTA INFORMACIÓN IRÁ A LA *POLICÍA*.

Y EN CUANTO A TI...

SSHAKAKOOMM

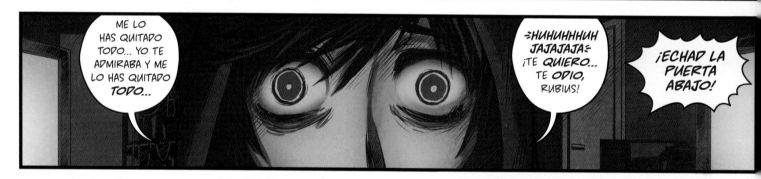

DESPIERTE, POR FAVOR, SEÑOR RUBIUS.

¿UH?

LE ESTÁN ESPERANDO MUCHOS AMIGOS, SEÑOR RUBIUS.

ESO ES. DEBES VOLVER.

¡SLENDER! ¡PROFESOR BRASAS!

PERO... ¿CÓMO ES POSIBLE? ¿ACASO ESTOY...?

OH, NO. RECUERDA, RUBIUS. ESTO ES EL PODER PURO DE LA IMAGINACIÓN. TODO ES POSIBLE EN ESTE LUGAR...

LA MENTE OPERA A UN NIVEL CUÁNTICO QUE...

NO DEJE QUE BRASAS SIGA HABLANDO, O SEGUIRÁ DURANTE DÍAS.

NO SE PREOCUPE POR NOSOTROS. ESTAMOS BIEN, PERO USTED DEBE VOLVER YA, SEÑOR RUBIUS.

LO QUE ME HA SORPRENDIDO ES LA EXQUISITA CALIDAD DEL TÉ EN ESTE LUGAR.

¡POR NO HABLAR DE LOS USOS DE LA CIENCIA! AHORA MISMO ESTOY PREPARANDO UN EXPERIMENTO QUE...

HEMOS SIDO ALIADOS, PERO LA PRÓXIMA VEZ... ¿QUIÉN SABE?

¡ADIÓS, PARDILLOS!

¡NI CASO A ESA LOCA! GRACIAS A ESTE **INTERFAZ** PODEMOS HABLAR AUNQUE NO ESTÉS USANDO EL ORV...

¡PERO NO ME LLAMES PARA PREGUNTAR LA HORA NI CHORRADAS ASÍ! ¿ENTENDIDO?

CLARO, CLARO.

¿Y AHORA QUÉ HACEMOS, RUBIUS?

NO LO SÉ. PERO SEA LO QUE SEA...

SERÁ CON MIS AMIGOS.

¡OH! ¡TÚ ERES **MANGEL**! ¡SOY UNA **FAN** TUYA!

¡AAH! ¡RUBIUS! ¡UNA DE TUS AMIGAS ES UNA **ZOMBI**!

¡NO SEAS BOBO! ¡RUBIUUUUS! ¡MIRA A TU AMIGO!

¡SOCORRO! ¡RUBIUUUUS!

BEEP BEEP BEEP

FI

Gracias a todos por hacer posible
esta bonita aventura.

Sin vosotros, los lectores y
mis suscriptores, no podría haber cumplido
mi sueño de crear un cómic.

Tampoco podría haberlo hecho sin la ayuda de
El Torres y Lolita Aldea, que han dado forma a
toda esta historia de manera increíble.

Este es el final de la trilogía de Virtual Hero,
pero puede que haya una pequeña sorpresa
para todos los fans, una sorpresa que
descubriréis dentro de poco.

Gracias.

RUBIUS